The Four Seasons

Written by **Carlos Ramirez**

Illustrated by **Bruce Martin**

This book is written in two languages—
English and Spanish.

When you look at the pages,

the English words will be on one side,

and the same words in Spanish

will be on the other.

Este libro está escrito en dos lenguas—
inglés y español.
Cuando usted mira las páginas,
las palabras en inglés estarán en un lado,
y las mismas palabras en español
estarán en el otro.

White mountains,

boots and coats,

burning fire,

yellow grass.

Winter is here.

How cold!

Montañas blancas,

botas y abrigos,

hoguera ardiente,

pasto amarillo.

Llegó el invierno.

¡Cómo hace frío!

Green, yellow,

red, purple,

beautiful flowers

cover the fields.

Finally spring

is here.

Verde, amarillo,

rojo, morado,

hermosas flores

cubren los prados.

La primavera

al fin ha llegado.

Burning sun,

seas and beaches,

cantaloupes, watermelons,

bananas, mangos.

Everybody play!

Summer is here!

Sol ardiente,

mares y playas,

melones, sandías,

bananas, mangos.

¡A jugar todos!

¡Llegó el verano!

And finally

autumn arrives.

Fields covered

with orange leaves.

Harvest days,

a thousand pumpkins.

Y finalmente
llega el otoño.
Campos cubiertos
de hojas naranjas.
Días de cosecha,
mil calabazas.